Para Claire,
con amor

© Petr Horáček, 2007
Publicado con el acuerdo de Walker Books Ltd,
87 Vauxhall Walk, Londres, SE11 5HJ, Reino Unido
Título original: SILLY SUZY GOOSE

© de la traducción española:
  EDITORIAL JUVENTUD, S. A,
  Provença, 101 - 08029 Barcelona
  info@editorialjuventud.es
  www.editorialjuventud.es

Traducción: Élodie Bourgeois Bertín

Primera edición, 2007
ISBN: 978-84-261-3630-5
Núm. de edición de E. J.: 10.976

Printed in China

editorial juventud
www.editorialjuventud.es

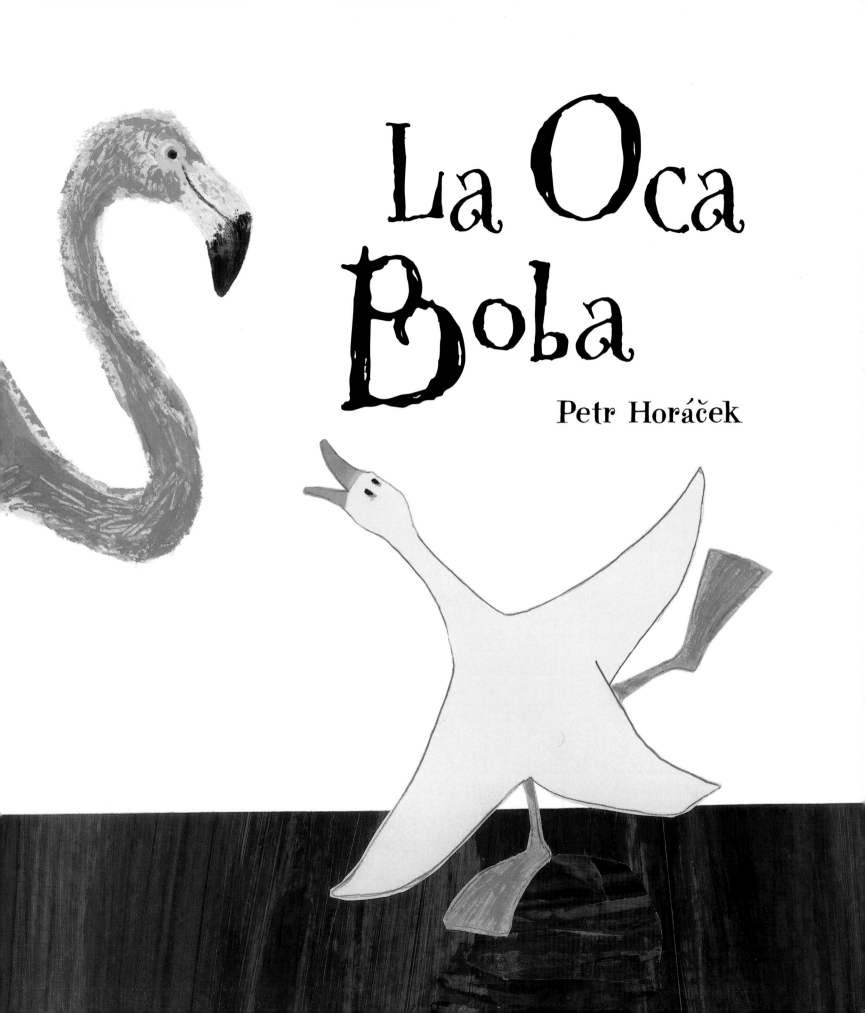

La Oca Boba

Petr Horáček

Un día la Oca Boba miró
a su alrededor. Era una oca más,
igual que todas las demás.
Me gustaría ser diferente, pensó.

Si fuera un murciélago,
podría colgarme boca
abajo y
BATIR
las alas

Si fuera un tucán, podría

GRAZNAR

muy fuerte

Si fuera un pingüino, podría deslizarme y

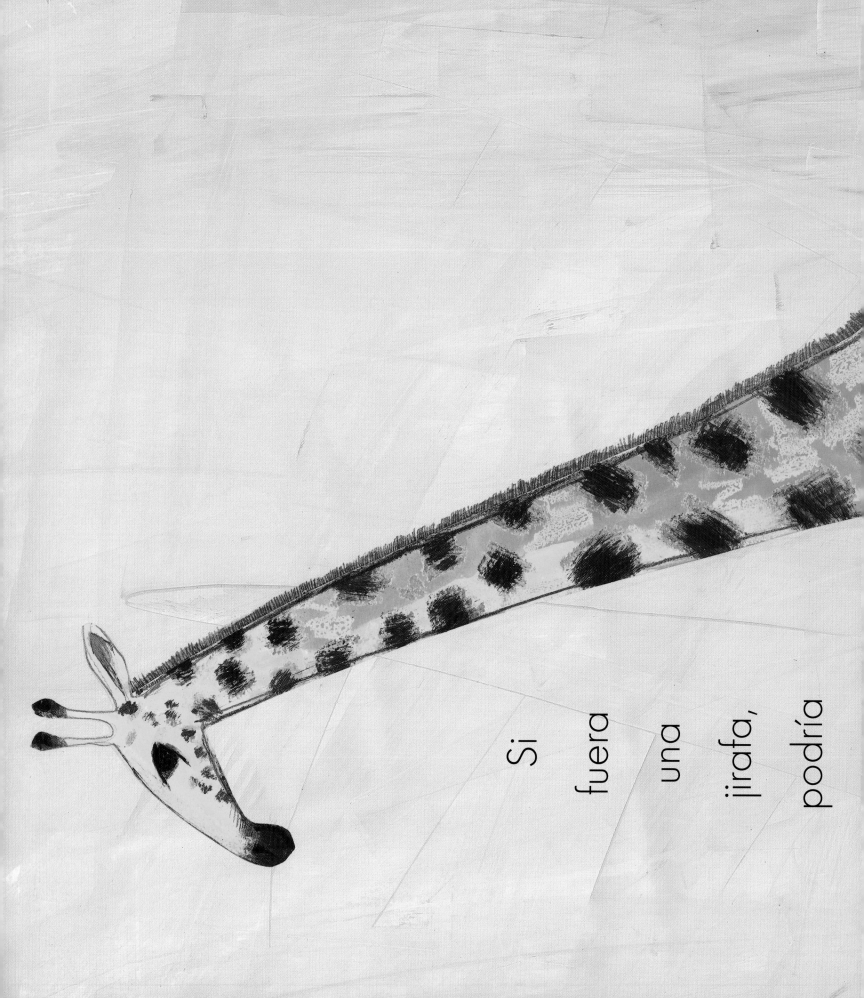

Si fuera una jirafa, podría

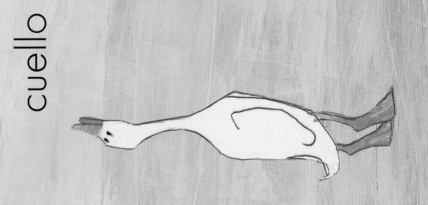

ESTIRAR

mucho

el

cuello

Si fuera un elefante, podría rociar y

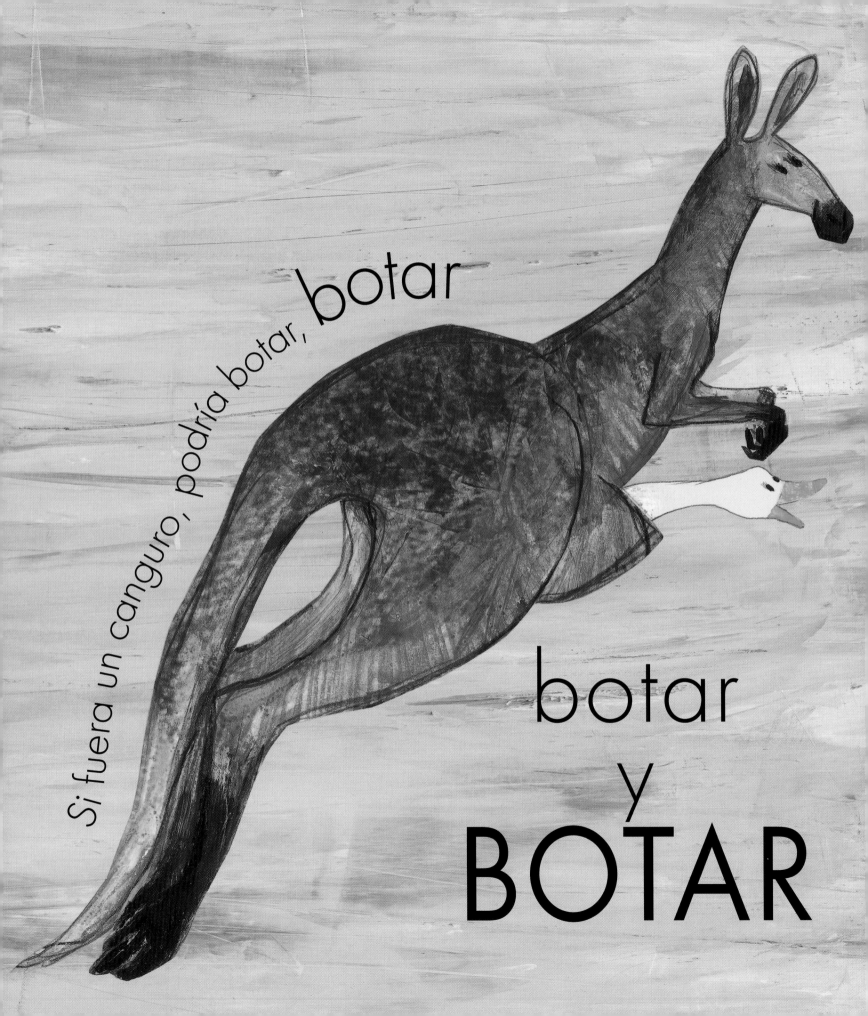

Si fuera un canguro, podría botar, botar

botar
y
BOTAR

Si fuera un avestruz, podría **CORRER** muy rápido.

Si fuera
una
foca,
podría

NADAR

debajo
del agua

Si fuera un león, podría rugir

y **RUGIR**

Rroaaarrron!

dijo la Oca Boba.

Pero el león no se inmutó.
La Oca Boba lo intentó
de nuevo.
¡Qué loca!

¡Esta vez, el león sí que la oyó!

Y no

le gustó

nada.

La Oca Boba
graznó
y estiró
el cuello

y nadó

y botó

y salpicó

y patinó

y batió de alas,

y corrió...

Hasta llegar donde estaban las otras.

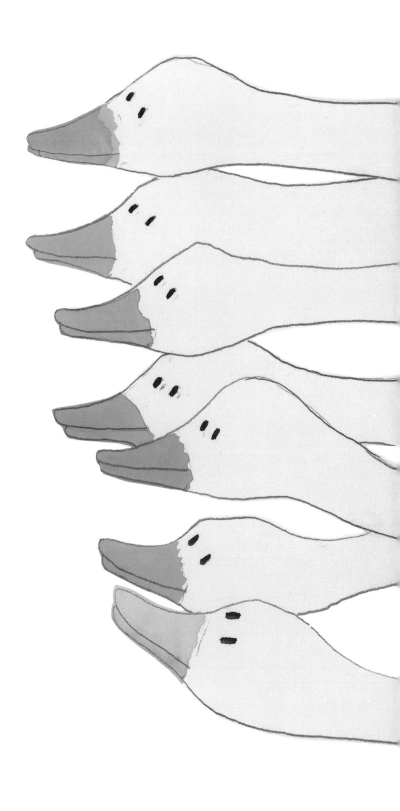

¡Justo
a tiempo!

Quizás es mejor ser como todas
las demás, pensó la Oca Boba...

pero no
siempre.